在中国文联十一大、中国作协十大开幕式上的讲话

（2021年12月14日）

习 近 平

人 民 出 版 社

在中国文联十一大、中国作协十大开幕式上的讲话

（2021 年 12 月 14 日）

习　近　平

各位代表，同志们，朋友们：

今天，我们在这里召开中国文学艺术界联合会第十一次全国代表大会、中国作家协会第十次全国代表大会，共商我国文艺繁荣发展大计。

首先，我代表党中央，向大会的召开，表示热烈的祝贺！向全体代表，并通过你们向全国广大文艺工作者，致以诚挚的问候！

今年是中国共产党成立一百周年。百年征程波澜壮阔，百年初心历久弥坚。中国共产党是具

有高度文化自觉的党，党的百年奋斗凝结着我国文化奋进的历史。中国共产党从成立之日起就把建设民族的科学的大众的中华民族新文化作为自己的使命，积极推动文化建设和文艺繁荣发展。毛泽东同志在《新民主主义论》中说："建立中华民族的新文化，这就是我们在文化领域中的目的。"一百年来，在党的领导下，广大文艺工作者坚持与时代同步伐，与人民同呼吸、共命运、心连心，高擎民族精神火炬，吹响时代前进号角，矢志不渝投身革命、建设、改革事业，用丰富的文艺形式，激励受剥削受压迫的劳苦大众浴血奋战、百折不挠，激励站起来的中国人民自力更生、发愤图强，激励改革开放大潮中的亿万人民解放思想、锐意进取，激励新时代的中国人民自信自强、守正创新，为增强人民力量、振奋民族精神发挥了重要作用。

党的十八大以来，广大文艺工作者与党同心同德、与人民同向同行，围绕中心、服务大局，真情倾听时代发展的铿锵足音，生动讴歌改革创新的火热实践，在文艺创作、文艺活动、文艺惠民等方面作出积极贡献、取得丰硕成果。特别是围绕纪念中国人民抗日战争暨世界反法西斯战争胜利70周年、庆祝中国人民解放军建军90周年、庆祝改革开放40周年、庆祝中华人民共和国成立70周年、纪念中国人民志愿军抗美援朝出国作战70周年、庆祝中国共产党成立100周年等党和国家重大活动，围绕决战脱贫攻坚、决胜全面建成小康社会等重大主题，围绕抗击新冠肺炎疫情等重大风险挑战，围绕实现人民对美好生活的向往、实现中华民族伟大复兴的中国梦，广大文艺工作者倾情投入、用心创作，推出大量优秀作品，开展系列文艺活动，发挥了聚人心、暖民心、强信心的作用。文学、戏剧、电影、电视、音乐、舞蹈、美术、摄影、书法、曲艺、杂技、民间文艺、文艺评论、群众文艺、艺术教育等领域都取得长足进步，我国文艺事业呈现百花齐放、生机勃勃的繁荣景象。

一百年来，党领导文艺战线不断探索、实践，走出了一条以马克思主义为指导、符合中国国情和文化传统、高扬人民性的文艺发展道路，为我国文艺繁荣发展指明了前进方向。

实践充分证明，文艺事业是党和人民的重要事业，文艺战线是党和人民的重要战线，广大文艺工作者无愧于党和人民的期待与要求。党和人民需要你们、信赖你们、感谢你们！

各位代表！同志们、朋友们！

文化兴则国家兴，文化强则民族强。当代中国，江山壮丽，人民豪迈，前程远大。时代为我国文艺繁荣发展提供了前所未有的广阔舞台。推动社会主义文艺繁荣发展、建设社会主义文化强国，广大文艺工作者义不容辞、重任在肩、大有作为。

广大文艺工作者要增强文化自觉、坚定文化自信，以强烈的历史主动精神，积极投身社会主义文化强国建设，坚持为人民服务、为社会主义服务方向，坚持百花齐放、百家争鸣方针，坚持创造性转化、创新性发展，聚焦举旗帜、聚民心、育新人、兴文化、展形象的使命任务，在培根铸魂上展现新担当，在守正创新上实现新作为，在明德修身上焕发新风貌，用自强不息、厚德载物的文化创造，展示中国文艺新气象，铸就中华文化新辉煌，为实现第二个百年奋斗目标、实现中华民族伟大复兴的中国梦提供强大的价值引导力、文化凝聚力、精神推动力。

这里，我给大家提几点希望。

第一，希望广大文艺工作者心系民族复兴伟业，热忱描绘新时代新征程的恢宏气象。实现中华民族伟大复兴，是近代以来中国人民和中华民族最伟大的梦想。一百年来，中国共产党把马克思主义基本原理同中国具体实际相结合、同中华优秀传统文化相结合，团结带领中国人民在这片广袤大地上绘就了人类发展史上波澜壮阔的壮美画卷，书写了中华民族几千年历史上最恢宏的史诗。现在，实现中华民族伟大复兴进入了不可逆转的历史进程，我们比历史上任何时期都更接近、更有信心和能力实现中华民族伟大复兴的目标,同时也必须准备付出更为艰巨、更为艰苦的努力。

文化是民族的精神命脉,文艺是时代的号角。古人说:“文者,贯道之器也。”新时代新征程是当代中国文艺的历史方位。广大文艺工作者要深刻把握民族复兴的时代主题,把人生追求、艺术生命同国家前途、民族命运、人民愿望紧密结合起来,以文弘业、以文培元,以文立心、以文铸魂,把文艺创造写到民族复兴的历史上、写在人民奋斗的征程中。

一百年来,中国共产党领导中国人民经过顽强奋斗,迎来了从站起来、富起来到强起来的伟大飞跃,迎来了从落后时代、跟上时代再到引领时代的伟大跨越,创造了人类历史上惊天地、泣鬼神的伟大史剧。广大文艺工作者要树立大历史观、大时代观,眼纳千江水、胸起百万兵,把握历史进程和时代大势,反映中华民族的千年巨变,揭示百年中国的人间正道,弘扬以爱国主义为核心的民族精神和以改革创新为核心的时代精神,弘扬伟大建党精神，唱响昂扬的时代主旋律。

中国特色社会主义新时代是中国人民在新的考验和挑战中创造光明未来的时代，也是中国人民拼搏奋斗创造美好生活的时代。“登高使人心旷，临流使人意远。”广大文艺工作者要紧跟时代步伐，从时代的脉搏中感悟艺术的脉动，把艺术创造向着亿万人民的伟大奋斗敞开，向着丰富多彩的社会生活敞开，从时代之变、中国之进、人民之呼中提炼主题、萃取题材，展现中华历史之美、山河之美、文化之美，抒写中国人民奋斗之志、创造之力、发展之果，全方位全景式展现新时代的精神气象。

第二，希望广大文艺工作者坚守人民立场，书写生生不息的人民史诗。源于人民、为了人民、属于人民，是社会主义文艺的根本立场，也是社会主义文艺繁荣发展的动力所在。广大文艺工作者要坚持以人民为中心的创作导向，把人民放在心中最高位置，把人民满意不满意作为检验艺术的最高标准，创作更多满足人民文化需求和增强人民精神力量的优秀作品，让文艺的百花园永远为人民绽放。

人民是历史的创造者，也是时代的创造者。在人民的壮阔奋斗中，随处跃动着创造历史的火热篇章，汇聚起来就是一部人民的史诗。人民是文艺之母。文学艺术的成长离不开人民的滋养，人民中有着一切文学艺术取之不尽、用之不竭的丰沛源泉。文艺要对人民创造历史的伟大进程给予最热情的赞颂，对一切为中华民族伟大复兴奋斗的拼搏者、一切为人民牺牲奉献的英雄们给予最深情的褒扬。

茅盾说过："一个做小说的人不但须有广博的生活经验，亦必须有一个训练过的头脑能够分析那复杂的社会现象。"俄国作家托尔斯泰说过："艺术不是技艺，它是艺术家体验了的感情的传达。"生活就是人民，人民就是生活。人民是真实的、现实的、朴实的，不能用虚构的形象虚构人民，不能用调侃的态度调侃人民，更不能用丑化的笔触丑化人民。广大文艺工作者只有深入人民群众、了解人民的辛勤劳动、感知人民的喜怒哀乐，才能洞悉生活本质，才能把握时代脉动，才能领悟人民心声，才能使文艺创作具有深沉的力量和隽永的魅力。广大文艺工作者不仅要让人民成为作品的主角，而且要把自己的思想倾向和情感同人民融为一体，把心、情、思沉到人民之中，同人民一道感受时代的脉搏、生命的光彩，为时代和人民放歌。

文学艺术以形象取胜，经典文艺形象会成为一个时代文艺的重要标识。一切有追求、有本领的文艺工作者要提高阅读生活的能力，不断发掘更多代表时代精神的新现象新人物，以源于生活又高于生活的艺术创造，以现实主义和浪漫主义相结合的美学风格，塑造更多吸引人、感染人、打动人的艺术形象，为时代留下令人难忘的艺术经典。

“立文之道，惟字与义。”文艺只有向上向善才能成为时代的号角。止于至善，方能臻于至美。广大文艺工作者要发扬中国文艺追求向上向善的优良传统，把社会主义核心价值观生动活泼体现在文艺创作之中，把有筋骨、有道德、有温度的东西表现出来，倡导健康文化风尚，摒弃畸形审美倾向，用思想深刻、清新质朴、刚健有力的优秀作品滋养人民的审美观价值观，使人民在精神生活上更加充盈起来。

第三，希望广大文艺工作者坚持守正创新，用跟上时代的精品力作开拓文艺新境界。衡量一个时代的文艺成就最终要看作品，衡量文学家、艺术家的人生价值也要看作品。广大文艺工作者要精益求精、勇于创新，努力创作无愧于我们这个伟大民族、伟大时代的优秀作品。

古往今来，优秀文艺作品必然是思想内容和艺术表达有机统一的结果。正所谓“理辩则气直，气直则辞盛，辞盛则文工”。只有把美的价值注入美的艺术之中，作品才有灵魂，思想和艺术才能相得益彰，作品才能传之久远。要把提高质量作为文艺作品的生命线，内容选材要严、思想开掘要深、艺术创造要精，不断提升作品的精神能量、文化内涵、艺术价值。

创新是文艺的生命。作家柳青说，“一个写作者，当他完全摆脱模仿的时候，他才开始成为真正的作家”，“每一个时代的文学，都有新的写法”。广大文艺工作者要有学习前人的礼敬之心，更要有超越前人的竞胜之心，增强自我突破的勇气，抵制照搬跟风、克隆山寨，迈向更加广阔的创作天地。

博大精深的中华文明是中华民族独特的精神标识，是当代中国文艺的根基，也是文艺创新的宝藏。中国文化历来推崇“收百世之阙文，采千载之遗韵”。要挖掘中华优秀传统文化的思想观念、人文精神、道德规范，把艺术创造力和中华文化价值融合起来，把中华美学精神和当代审美追求结合起来，激活中华文化生命力。故步自封、陈陈相因谈不上传承，割断血脉、凭空虚造不能算创新。要把握传承和创新的关系，学古不泥古、破法不悖法，让中华优秀传统文化成为文艺创新的重要源泉。

今天，各种艺术门类互融互通，各种表现形式交叉融合，互联网、大数据、人工智能等催生了文艺形式创新，拓宽了文艺空间。我们必须明白一个道理，一切创作技巧和手段都是为内容服务的。科技发展、技术革新可以带来新的艺术表达和渲染方式，但艺术的丰盈始终有赖于生活。要正确运用新的技术、新的手段，激发创意灵感、丰富文化内涵、表达思想情感，使文艺创作呈现更有内涵、更有潜力的新境界。

第四，希望广大文艺工作者用情用力讲好中国故事，向世界展现可信、可爱、可敬的中国形象。中国人民历来具有深厚的天下情怀，当代中国文艺要把目光投向世界、投向人类。广大文艺工作者要有信心和抱负，承百代之流，会当今之变，创作更多彰显中国审美旨趣、传播当代中国价值观念、反映全人类共同价值追求的优秀作品。

各国人民的处境和命运千差万别，但对美好生活的不懈追求、为改变命运的不屈奋斗是一致的，也是最容易引起共鸣的。马克思说："凡是民族作为民族所做的事情，都是他们为人类社会而做的事情。"在艰苦卓绝的奋斗中，中国人民以一往无前的决心和意志，以前所未有的智慧和力量，开辟了中国特色社会主义道路，创造了经济快速发展和社会长期稳定两大奇迹，创造了人类文明新形态，大幅提高了中国文化软实力。国际社会希望解码中国的发展道路和成功秘诀，了解中国人民的生活变迁和心灵世界。

以文化人，更能凝结心灵；以艺通心，更易沟通世界。广大文艺工作者要立足中国大地，讲好中国故事，以更为深邃的视野、更为博大的胸怀、更为自信的态度，择取最能代表中国变革和中国精神的题材，进行艺术表现，塑造更多为世界所认知的中华文化形象，努力展示一个生动立体的中国，为推动构建人类命运共同体谱写新篇章。

文艺的民族特性体现了一个民族的文化辨识度。广大文艺工作者要坚守中华文化立场，同世界各国文学家、艺术家开展交流。要重视发展民族化的艺术内容和形式,继承发扬民族民间文学艺术传统,拓展风格流派、形式样式,在世界文学艺术领域鲜明确立中国气派、中国风范。

第五,希望广大文艺工作者坚持弘扬正道,在追求德艺双馨中成就人生价值。“志高则言洁,志大则辞弘,志远则旨永。”文艺承担着成风化人的职责。广大文艺工作者要把个人的道德修养、社会形象与作品的社会效果统一起来,坚守艺术理想,追求德艺双馨,努力以高尚的操守和文质兼美的作品,为历史存正气、为世人弘美德、为自身留清名。

立德树人的人,必先立己;铸魂培根的人,必先铸己。那些在历史长河中经久不衰的经典,都体现了文学家、艺术家襟怀和学识的贯通、道德和才情的交融、人品和艺品的统一。正所谓“为世用者,百篇无害;不为用者,一章无补”。

文艺创作是艰辛的创造性工作。练就高超艺术水平非朝夕之功,需要专心致志、朝乾夕惕、久久为功。如果只想走捷径、求速成、逐虚名，幻想一夜成名，追逐一夜暴富，最终只能是过眼云烟。文艺要通俗，但决不能庸俗、低俗、媚俗。文艺要生活，但决不能成为不良风气的制造者、跟风者、鼓吹者。文艺要创新，但决不能搞光怪陆离、荒腔走板的东西。文艺要效益，但决不能沾染铜臭气、当市场的奴隶。创作要靠心血，表演要靠实力，形象要靠塑造，效益要靠品质，名声要靠德艺。低格调的搞笑，无底线的放纵，博眼球的娱乐，不知止的欲望，对文艺有百害而无一利！广大文艺工作者要心怀对艺术的敬畏之心和对专业的赤诚之心，下真功夫、练真本事、求真名声。

文艺工作者的自身修养不只是个人私事，文艺行风的好坏会影响整个文化领域乃至社会生活的生态。文学家、艺术家是有社会影响力的，一举一动都会对社会产生影响。大家要珍惜自己的社会影响，认真严肃地考虑作品的社会效果。一个文艺工作者如果品行不端，人民不会接受，时代也不会接受！不自重就得不到尊重！广大文艺工作者要讲品位、讲格调、讲责任，自觉遵守法律、遵循公序良俗，自觉抵制拜金主义、享乐主义、极端个人主义，堂堂正正做人、清清白白做事。要有“横眉冷对千夫指，俯首甘为孺子牛”的精神，歌颂真善美、针砭假恶丑。对正能量要敢写敢歌，理直气壮，正大光明。对丑恶事要敢怒敢批，大义凛然，威武不屈。要弘扬行风艺德，树立文艺界良好社会形象，营造自尊自爱、互学互鉴、天朗气清的行业风气。

各位代表！同志们、朋友们！

繁荣发展社会主义文艺、建设社会主义文化强国，需要在党的领导下，广泛团结凝聚爱国奉献的文艺工作者，培养造就一大批德才兼备的文学家、艺术家。中国文联、中国作协是党和政府联系文艺工作者的桥梁和纽带。5 年来，中国文联、中国作协紧扣“做人的工作”这一任务，聚焦创作生产优秀作品这一中心环节，深化改革，优化职能，团结引领广大文艺工作者听党话、跟党走，繁荣创作、服务人民，发挥了重要作用。

中国文联、中国作协要发挥文联、作协系统的组织优势，创新工作体系，做好对新的文艺组织和新的文艺群体的教育引导工作，向基层文艺工作者倾斜，用事业激励人才，让人才成就事业，广泛组织动员各领域各层次各方面文艺工作者投身党的文艺事业。要诚心诚意同文艺工作者交朋友，办实事、解难事、真办事，让他们感受到“文艺工作者之家”的温暖。要发挥文艺界人民团体的专业优势，指导文学家、艺术家提高专业水平，建设更具权威性、公信力、影响力的文艺评价体系，强化行业服务、行业管理、行业自律，深入推进行风建设。

各级党委要贯彻党的理论和路线方针政策，尊重和遵循文艺规律，通过深化改革、完善政策、健全体制，形成不断出精品、出人才的生动局面。要选好配强文艺单位领导班子，把政治过硬、德才兼备、熟悉文艺工作、能够同文艺工作者打成一片的干部放到领导岗位上来。要加大文艺创作扶持力度，不断扩大高质量文艺作品供给。要加强马克思主义文艺理论和评论建设，增强朝气锐气，发挥引导创作、推出精品、提高审美、引领风尚的作用。要坚持教育引导和综合治理并重，立破并举、综合施策，建设山清水秀的文艺生态。

青年是事业的未来。只有青年文艺工作者强起来，我们的文艺事业才能形成长江后浪推前浪的生动局面。要识才、爱才、敬才、用才，引导青年文艺工作者守正道、走大道，鼓励他们多创新、出精品，支持他们挑大梁、当主角，让当代中国文学家、艺术家像泉水一样奔涌而出，让中国文艺的天空更加群星灿烂。

各位代表！同志们、朋友们！

"大鹏一日同风起，扶摇直上九万里。"这是伟大诗人李白青年时期仗剑远游时写下的诗句，那时他感受着盛唐的蓬勃气象，胸中鼓荡着凌云壮志。今天，中国、中国人民、中华民族的未来无限广大。新时代需要文艺大师，也完全能够造就文艺大师！新时代需要文艺高峰，也完全能够铸就文艺高峰！我们要坚定这个自信！希望广大文艺工作者不忘初心、牢记使命，不负时代、不负人民，为全面建设社会主义现代化国家、实现中华民族伟大复兴的中国梦作出新的更大贡献！

图书在版编目（CIP）数据

在中国文联十一大、中国作协十大开幕式上的讲话/
习近平 著. —北京：人民出版社，2021.12
ISBN 978 - 7 - 01 - 024381 - 8

Ⅰ. ①在… Ⅱ. ①习… Ⅲ. ①习近平-讲话②文艺-工作-中国-学习参考资料 Ⅳ. ①D2-0②I200

中国版本图书馆 CIP 数据核字（2021）第 263706 号

（RMC - ZJDXI - 121 - 20211214）

在中国文联十一大、中国作协十大开幕式上的讲话

ZAI ZHONGGUO WENLIAN SHIYIDA ZHONGGUO ZUOXIE SHIDA KAIMUSHI SHANG DE JIANGHUA

（2021 年 12 月 14 日）

习 近 平

人民出版社 出版发行
（100706 北京市东城区隆福寺街 99 号）

北京新华印刷有限公司印刷 新华书店经销

2021 年 12 月第 1 版 2021 年 12 月北京第 1 次印刷
开本：880 毫米×1230 毫米 1/32 印张：0. 75
字数：9 千字

ISBN 978 - 7 - 01 - 024381 - 8 定价：2.50 元

邮购地址 100706 北京市东城区隆福寺街 99 号
人民东方图书销售中心 电话 （010）65250042 65289539